Wat hangt daar in de lucht?

Anke Kranendonk
Tekeningen van Hilde Jacobs

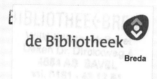

Zwijsen

Op reis

We gingen op reis.
Maar we wisten niet waar naartoe.
Alleen mijn moeder wist het.
'Het is een verrassing,' zei ze.
Ze zat naast mijn vader in de auto.
En ik zat achterin.
Samen met al mijn broertjes, het was propvol.
We zaten al meer dan drie uur in de auto.
Onderweg hadden we ook nog file.
We wachtten en smolten zowat.
In de auto was het zo warm.
Alle ramen stonden open.
Maar nog was er alleen maar hitte.

Na een hele poos stopte mijn vader.
'Zo,' zei hij.
'Nu kunnen we niet meer verder.'
'Waarom niet?' vroeg ik.
'Het land is op,' zei mijn vader.
'Het land is op?' vroeg ik.
'Ja, er is niets meer.'

Mijn vader wees naar voren.
Er was alleen maar water te zien.
Heel in de verte zag ik een boot.
'Daar komt de pont,' zei mijn vader.
'We moeten erop wachten.'

Ik wist niet wat een pont was.
Ik had er wel eens van gehoord.
Het was bij de slager en ik moest iets kopen.
'Een pond gehakt en twee pond kip,' vroeg ik.
Ik kreeg een pond gehakt en twee pond kip.
Maar nu was er een pont op het water.
Dat is toch heel erg raar?
Eerlijk gezegd, snapte ik er niets van.
Maar toen zei mijn moeder: 'Ik leg het je uit:
Je hebt een pond met een d.
En een pond met een t.
Met de t pont kun je varen.'
Nou ja, ik vond het moeilijk.

Mijn broers waren al uit de auto gestapt.
Ze liepen naar het puntje van het land.
Ver weg voer de pont.
Ik stapte ook uit en keek over het water.
Na een lange poos werd de boot groter.
Hij kwam bij ons aan land.
Eerst kwamen er veel mensen vanaf.
Daarna mochten wij erop.
Onder in de pont stonden alle auto's.
Alle mensen stapten uit en gingen naar boven.
Op het dek keken we hoe de boot vertrok.
Eerst kon je de haven nog zien.
Maar na een tijdje was er alleen nog maar water.
Waar gingen we naartoe?

Wat hangt er in de lucht?

De boot kwam weer aan land.
Nu waren we aan de overkant.
Het leek wel het andere eind van de wereld!
Ik kreeg kriebels in mijn buik.
'Waar gaan we naartoe?' vroeg ik.
Mijn moeder lachte en aaide over mijn wang.
'Verrassing,' zei ze.
'Nog steeds?' vroeg ik.
'Ja,' zei ze.
'Maar we zijn er bijna.'

We reden langs gouden velden.
Er groeide koren op.
Van koren wordt later brood gemaakt.
Het was een mooi gezicht.
Meer dan duizend sprieten koren.
Allemaal goud.
Er kwam een zuchtje wind.
Alle korensprieten wuifden naar één kant.
Ze bogen met de wind mee.
De zon scheen op de velden.
En alles werd nog meer goud.
Ik bleef er maar naar kijken.
Totdat mijn moeder ineens zei: 'We zijn er.'
'Hier woont boer Biet.'

We zagen een grasveld met bomen erin.
Bij alle bomen stond een tent.
Soms stond er een klein tentje bij.
Onder één boom stond niets.
Daar gingen wij staan.

Mijn vader en moeder pakten de auto uit.
Honderd tassen met handdoeken erin, en een groot pak.
In dat pak zat de tent.
Mijn vader haalde de tent uit de zak.
Hij legde hem op de grond.
Terwijl hij dat deed, pakte mijn moeder de tentstokken.
'Eerst zetten we de voorkant omhoog,' zei ze.
'Nee, eerst de achterkant,' zei mijn vader.
'Nee, de voorkant.'
'De achterkant.'
Ik dacht: laat ze maar lekker samen ruzie maken.
Met mijn broers liep ik weg.
Wat zou er allemaal te doen zijn bij boer Biet?
We zagen schapen, kippen, een schommel, het washok.
Ineens pakte mijn broer mijn hand.
Hij wees naar de lucht.
'Wat is dat?' vroeg hij.
Ik hield mijn hand boven mijn ogen en keek.
Hoog in de hemel hing iets roods.
Het bewoog in cirkels om ons heen.
Langzaam kwam het ding lager.
Was het een vogel?

Leuk of eng?

Het kwam steeds meer naar ons toe.
Rode vleugels en een lange zak.
Het was geen vliegtuig en ook geen vogel.
Mijn broers en ik tuurden in de lucht.
Nu vloog het ding boven de boerderij.
Wij stonden achter het huis van boer Biet.
Ineens wees mijn broer Boon naar boven.
'Het is een mens,' zei hij.
We keken nog beter dan we al deden.
Het vliegding was nu al vlak boven ons hoofd.
Ja hoor, daar hing een mens.
Hij hield een grote vleugel vast.
Zijn benen zaten in een lange zak.
Nu liet hij met één hand de vleugel los.
Hij zwaaide naar ons en wij zwaaiden terug.
'Niet vallen!' riep ik.
'Hou je vast!'
Hij was nu heel erg dichtbij.
We konden hem bijna pakken.
Waar zou hij naartoe gaan?
Bijna was hij op de grond.
Mijn broers en ik renden achter hem aan.
Langs het washok en de boerderij van boer Biet.

Toen zagen we een groot open veld.
De vlieger zweefde er naartoe.
De grote zak ging open en je zag zijn benen.
Steeds lager kwam hij.
Zo meteen viel hij op de grond.
'Bukken!' riep ik.
Maar ik deed het niet.
Op de grond zou ik niets zien.
En ik wilde alles zien.
De rode vleugel werd steeds groter.
Hij klapperde in de wind.
Nog een paar cirkels.
Dan zou hij op de grond komen.

Maar wat deed de vlieger?
Hij zweefde over het korenveld.
Stel je voor dat hij daarin zou vallen.
Al het mooie gouden koren kapot.
Ik zwaaide met mijn armen.
'Hier naartoe!' riep ik.
'Doe niet zo raar,' zei mijn broertje Bies.
'Wat weet jij nou van de vlieger?
Bemoei je er niet mee.'
Stom broertje, maar ik hield mijn mond.
De vlieger raakte het koren met zijn tenen.
Hij begon te lopen in de lucht.
Lopen, lopen, lopen.
Het werd rennen, totdat hij gras onder zijn voeten
kreeg.
Even rende hij nog door.
Toen stond hij stil.
Midden in het grote open veld.

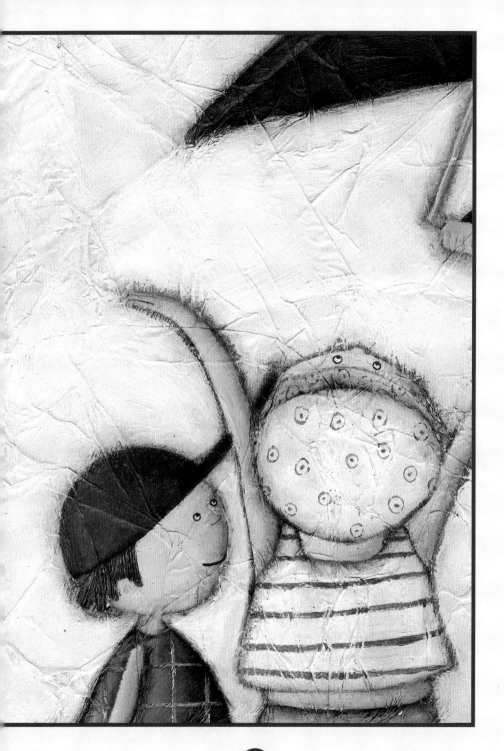

Wie durft?

Een paar grote mensen liepen naar de vlieger toe.
Mijn broers en ik gingen er ook naartoe.
De vlieger had zijn helm afgedaan.
'Het ging goed,' zei hij blij.
'Ik bleef lekker lang in de lucht.
Alles heb ik gezien: de zee, de duinen.
En ook de mooie rode bieten.'

De vleugel was heel erg groot.
Ik werd er een beetje stil van, zo groot.
Ik keek naar de vlieger, en de man, en de lucht.
Nog nooit had ik dit gezien.
Zomaar bungelen in de lucht.
Aan een rood ding hangen en zweven.
De hemel boven je en de aarde onder je.
Maar hoe kwam die man hier?
Was hij verdwaald?
'Hoe komt u hier?' vroeg ik aan de vlieger.
'Met de vlieger,' zei de man.
'Dat zag ik, maar waar kwam u vandaan?

Bent u verdwaald?'
'Nee,' zei hij.
'Ik woon hier.
Ik ben boer Biet.'
Hij spreidde zijn armen wijd uit.
'Dit hele grote veld is van mij.
Net als de velden vol bieten en koren.
Vroeger groeiden hier aardappels.
Maar niemand wilde ze meer kopen.
De mensen eten niet meer zoveel aardappels, snap je.

Toen dacht ik: wat moet ik met het veld?
Wat kan ik ermee doen?
Ik hield van vliegen.
En ineens wist ik het:
hier maak ik een vliegveld.
Ik kocht een grote vleugel, dat heet een deltavlieger.'
Boer Biet ritste zijn jack open en vertelde verder:

'Maar ja, hoe kom je in de lucht?
Bergen zijn hier niet.
Je kunt hier niet van een heuvel springen.
En omhoog springen heeft ook geen zin.'
Boer Biet wees in de verte.
Daar stond een groot ding.
'Aan dat ding zit een ijzeren lijn,' zei hij.
'Die lijn gaat aan mijn vleugel.
Als het goed gaat, trekt hij mij omhoog.'

'Mag ik een keer de lucht in?' vroeg mijn broertje.
Boer Biet keek hem aan.
'Nee,' zei hij lachend,
'je bent te klein.
Je zou zomaar weg wapperen.'
'En ik?' zei een stem.

Waar ga je heen?

Ik wist van wie die stem was.
Van mijn moeder.
Ze stond naast me in een korte broek.
'Mag ik mee?' vroeg ze.
'Ik wil de lucht wel eens van dichtbij zien.'
'Jawel,' zei boer Biet.
'Dan gaan we in duovlucht.'
'Mag je wel van papa?' vroeg mijn broertje Borre.
Ik keek hem boos aan, wat een stomme vraag.
Maar ik dacht hetzelfde.
Mijn drie andere broertjes juichten.
'De lucht in, de lucht in!' riepen ze.
Het leek mij een raar gezicht, een moeder boven je
hoofd.
Misschien vloog ze wel weg.
Of stortte ze op het veld met de bieten.
Ze kon ook nog de zee in duiken.
Ik moest er allemaal maar niet aan denken.

Mijn moeder trok een lange broek aan.
Ze kreeg een helm op.
Daarna stapte ze in een tuig.
Het leek een broek, maar dan zonder pijpen.
Aan dat tuig zat een grote gesp.
Die gesp ging aan de rug van boer Biet.

'Maak je goed vast, schat,' zei mijn vader.
Hij was bij ons komen staan.
Ik had er niets van gemerkt.
We moesten een eindje weg gaan staan.
Vanaf de boerderij konden we het goed zien.

Mijn moeder gespte zich aan boer Biet vast.
En hij haakte zich weer aan de vlieger vast.
Eén man stond niet bij ons.
Hij hielp mama en boer Biet.
Alles moest goed vast zitten, stel je voor!
Boer Biet maakte de vleugel aan de lijn vast.
'Klaar?!' hoorden wij roepen.

Daar ging mijn moeder.
Ze liep met malle passen achter boer Biet aan.
Lopen, lopen, lopen.
Totdat haar voeten de grond niet meer raakten.
Ze liep nog een beetje in de lucht.
En toen ...
Was ze weer op de grond.
Wat was dat nou?
Misschien waren twee mensen te zwaar.
Snel liepen we naar mama toe.
'Hé, mam,' zei mijn broer Boetje.
'Je kunt het niet.'
Ik gaf hem een stomp.
Mijn broers zeggen altijd rare dingen.
'Je moeder kan het goed,' zei boer Biet.
'Maar de lier haakte los.
Je weet wel, die ijzeren lijn.
Dat doet hij altijd,
als de lucht in de lucht niet goed is.'

Dag mam!

Daar snapte ik geen bal van.
Als de lucht in de lucht niet goed is?
Dat kan toch niet?
'Soms trekt de lucht je omhoog,' zei boer Biet.
'En soms duwt hij je naar beneden.
Dan is de lucht niet goed.
Als we snel omhoog gaan, lukt het vliegen.
En anders staan we snel weer op de grond.'
'Ja, ja,' zei ik.
Misschien was boer Biet gewoon een beetje gek.
Maar ja.
'We doen het nog een keer,' zei hij.

De hulpman maakte de vlieger aan de lijn vast.
Mama gespte zich aan boer Biet vast.
En boer Biet haakte zich aan de vlieger.
'Zit alles goed vast?' vroeg mama wel twintig keer.
'Ik kan natuurlijk niet boven op mijn kinderen vallen.'
We gingen weer bij de boerderij staan kijken.
In het veld begon mijn moeder te lopen.
Lopen, lopen, lopen.
Totdat haar voeten de grond niet meer raakten.
Ze liep nog even door de lucht.
Hoger en hoger ging ze.
Mama!

Ze werd almaar kleiner.
Mijn hart bonkte in mijn keel.
Ineens zagen we iets uit de lucht vallen.
Ik wilde gillen van angst.
Maar ik hiëld mijn woorden in.
Het was mama niet die viel.
De ijzeren lijn was naar beneden gekomen.
Nu was mama los van de aarde.
We legden onze hoofden in de nek en zwaaiden.
Mijn moeder vloog in cirkels boven ons.
Welke moeder doet dat nou.
Welke moeder hangt nu boven je in de lucht?

Ineens was ze weg, verdwenen achter de boerderij.
'Mama!' riepen we en we zwaaiden.
Waar was ze?
Nu had ik zelfs geen moeder meer in de lucht.
Het was zo gek.
Ik vond het leuk en naar op hetzelfde moment.
Ik kon wel huilen en gillen van plezier.
Ik wist: mama komt terug en toch was ik bang.
Moest ik nog wel naar boven kijken?
Ik kon net zo goed gaan spelen.
Maar dat vond ik een raar idee.
Ik op de schommel terwijl mijn moeder in de wolken
zweefde.
Ineens riepen mijn broers naar mijn moeder.

Snel keek ik naar boven.
Hoog in de lucht, boven de bomen, was mama.
Langzaam, heel langzaam, zakte ze naar beneden.
Ze zwaaide.
En toen wist ik het zeker: ze komt terug!

Raketjes bij kern 12 van Veilig leren lezen

1. Wat hangt daar in de lucht
Anke Kranenonk en
Hilde Jacobs
Na ongeveer 36 weken
leesonderwijs

3. Prins Pom
Annemiek Neefjes en
Yvonne Jagtenberg
Na ongeveer 36 weken
leesonderwijs

2. Wielman
Wouter Kersbergen en
Jan van Lierde
Na ongeveer 36 weken
leesonderwijs

ISBN 90.276.6190.1
NUR 287
1e druk 2005

© 2005 Tekst: Anke Kranenonk
Illustraties: Hilde Jacobs
Lay-out: Studio Frans Galema
Uitgeverij Zwijsen B.V. Tilburg

Voor België:
Zwijsen-Infoboek, Meerhout
D/2005/1919/400